Deutsch

Anneli Billina

Schatten über der Vergangenheit

SPANNENDER LERNKRIMI

Hueber Verlag

Einen kostenlosen MP3-Download zu diesem Titel finden Sie unter
www.hueber.de/audioservice.
© 2018 Hueber Verlag GmbH & Co. KG, München, Deutschland
Alle Rechte vorbehalten.
Sprecher: Crock Krumbiegel
Hörproduktion: Tonstudio Langer, 85375 Neufahrn bei Freising, Deutschland

3.	2.	1.		Die letzten Ziffern
2022	21	20	19	18	bezeichnen Zahl und Jahr des Druckes.

Alle Drucke dieser Auflage können, da unverändert,
nebeneinander benutzt werden.
1. Auflage
© 2018 Hueber Verlag GmbH & Co. KG, München, Deutschland
Umschlaggestaltung: Sieveking · Agentur für Kommunikation, München
Umschlagfoto: © Getty Images/iStock/Rezus
Zeichnungen: Mascha Greune, München
Layout und Satz: Sieveking · Agentur für Kommunikation, München
Redaktion: Anna Meißner-Probst, Hueber Verlag, München
Druck und Bindung: Friedrich Pustet GmbH & Co. KG, Regensburg
Printed in Germany
ISBN 978-3-19-128580-7

Art. 530_25716_001_01

Inhalt

▶ Das Hörbuch zur Lektüre und die Tracks zu den Übungen stehen als kostenloser Download bereit unter: www.hueber.de/audioservice.

MÜNCHEN

Marienplatz

Karlsplatz

Franz' Wohnung

Hauptbahnhof

Taxiparkplatz

Theresienwiese

Kindergarten

Isar

Emmas Wohnung

Waldwirtschaft in Pullach

Haus der Familie Wolf

Klinikum Großhadern

Garmisch-Partenkirchen

Kapitel 1: Eine komische Halskette

Leise öffnet Emma die Tür zum Spielzimmer.

Noch ist Mittagsruhe. Ein paar Kinder schlafen, die anderen sehen Bilderbücher an oder spielen mit Teddys in der Kissenecke. Die Kindergärtnerin auf ihrem Stuhl hat ein Buch auf den Knien. Ihre Augen sind geschlossen. Emma lächelt: Hier gibt es wirklich eine ruhige Mittagszeit!

Aber da sieht ein kleiner Junge von seinem Bilderbuch auf: „Omi, Omi!" Er läuft in Emmas Arme und die Ruhe ist vorbei. Die Kindergärtnerin hat auch geschlafen. Jetzt sieht sie auf: „Oh, Frau Wagner, Sie sind schon da!"

„Entschuldigen Sie bitte, aber ich möchte meinen Enkelsohn heute ein bisschen früher abholen …"

„Kein Problem, Frau Wagner, ich muss die Kleinen sowieso jetzt wecken."

Simon flüstert seiner Oma ins Ohr: „Das stimmt nicht, Omi! Sie weckt uns nie! Sie schläft immer ganz lange!"

Emma muss lachen und nimmt Simon an der Hand. „Komm, wir holen deine Jacke, dann gehen wir nach Hause."

Emma hilft ihrem Enkelsohn in die Schuhe. So lange hat sie gewartet. Nun hat sie endlich mehr Zeit für Simon! Fehlt ihr die Arbeit als Kriminalkommissarin? Im Moment sicher nicht. Jetzt ist sie seit einer Woche in Rente und freut sich. Sie ist einfach nur Oma!

Bis zum Wochenende wohnt Simon sogar bei ihr. Seine Eltern sind für ein paar Tage auf Reisen. Sie haben einen Geschäftstermin in Wien und wollen dann noch die Stadt ansehen.

---

wirklich:	flüstern: sehr	die Kriminal-	die Rente:
real, echt	leise sprechen	kommissarin:	jemand arbeitet
		→ S. 22	nicht mehr, aber
			bekommt Geld

Endlich kann Emma ihrer Tochter helfen und manchmal etwas mit Simon machen. In den letzten Jahren war das fast nie möglich.

Hand in Hand gehen die beiden in der warmen Nachmittagssonne die Plinganserstraße hinunter, Richtung Harras.
Emma fragt gerade: „Na, Simon? Sollen wir uns ein Eis kaufen?"
Da bleibt er plötzlich stehen. „Oh nein, Omi, jetzt hab' ich Felix vergessen! Seine Kette!"
„Was hast du vergessen? Und was für eine Kette?"
Simon sucht in seiner Hosentasche.
Nach einem alten Taschentuch, einem Radiergummi, einem kleinen Porsche und einem alten Kaugummi hat er eine Halskette in der Hand und gibt sie Emma.
„Schau mal, die war im Kindergarten im Bad auf dem Boden. Das ist Felix' Glücksbringer! Sein Papa hat ihm die Kette geschenkt. Er trägt sie immer um den Hals."
Emma nimmt die Kette und sieht den Anhänger an. Ein rundes Stück Metall, wie ein 20-Cent-Stück, ein paar Zahlen darauf, ein paar Buchstaben …
„Ich kenne so etwas", denkt Emma. „Wo habe ich das schon einmal gesehen?"
„Wann hast du sie denn gefunden, Simon? Und warum hast du Felix die Kette nicht zurückgegeben?", fragt sie laut.
„Das war so: Nach dem Mittagsschlaf muss ich immer Pipi. Dann steh' ich auf und geh' ins Bad. Da hab' ich die Kette auf dem Boden gefunden und mitgenommen. Und dann hab' ich Felix gesucht, aber nicht gesehen. Dann hab' ich das Bilderbuch angesehen und dann bist du gekommen!"

| die Kette: trägt man um den Hals; aus Gold oder Silber | der Glücksbringer: Talisman; soll Glück bringen | der Anhänger: kleine Figur oder Symbol an der Kette | das Metall: Material für Geldstücke |

„Gut, Simon. Wir gehen erst einmal Eis essen und bringen deine
Tasche nach Hause. Später machen wir einen Spaziergang zu
Felix und du gibst ihm die Kette zurück."

Schokolade und Erdbeere, Emmas Lieblingseis. Es ist lecker
wie immer, aber Emma muss an die Kette denken.
Sieht sie nicht aus wie eine Plombe? Macht man nicht die Koffer
von Geldtransporten mit diesen Plomben zu? Doch warum hat
ein Junge in Felix' Alter so ein Stück Metall um den Hals? Und
warum schenkt ein Vater seinem Sohn so eine Kette?
Aber da fällt Simon eine Eiskugel auf den Boden. Er weint, Omi
tröstet, und die Kette ist erst einmal vergessen.

---

die Plombe: ver-
schließt Koffer
mit Geld

weinen:
↔ lachen

trösten: zu jemandem
lieb sein, dann weint
er nicht mehr

7

Kapitel 2: Wo ist Felix?

Emma und Simon stehen vor dem Gartentor von Felix' Familie. Von Emmas Wohnung am Margaretenplatz bis zu dem kleinen Haus der Familie Wolf in der Kössenerstraße ist es nur ein kurzer Spaziergang. Sie haben noch nicht geklingelt, schon öffnet Nina Wolf, Felix' Mutter, die Haustür und läuft ans Gartentor.

„Wisst ihr etwas von Felix? Wo ist er?" Ninas Augen sind rot vom Weinen. Sie öffnet das Tor. Ihre Hände zittern.

„Aber … ich verstehe nicht … Ist er nicht zu Hause? Der Kindergarten ist doch jetzt geschlossen!" Fragend sieht Emma Felix' Mutter an.

„Er war nicht im Kindergarten! Ich hole ihn immer um fünf Uhr ab, aber heute war er nicht da! Er ist weg, keiner weiß, wo!" Verzweifelt hält Nina ihre Hände vor das Gesicht.

Da kommt Jonas Wolf aus dem Haus. Er nimmt seine Frau in die Arme. „Ruhig, Nina, ruhig. Ich rufe gleich die Polizei an. Die Entführer melden sich sicherlich bald."

Voll Panik sieht Nina ihren Mann an. „Oh Gott, du denkst, jemand hat Felix entführt? Aber warum? Wir haben doch kein Geld!"

„Ja, warum denken Sie gleich an eine Entführung?", möchte Emma wissen. „Warten Sie doch erst einmal. Vielleicht ist bald alles klar und Felix hat nur einen Freund besucht."

„Wer sind Sie eigentlich?", fragt Felix' Vater unfreundlich.

„Entschuldigen Sie, wir kennen uns ja noch nicht. Ich bin Emma Wagner, Simons Großmutter."

„Tut mir leid, Frau Wagner, ich habe Sie meinem Mann noch nicht vorgestellt. Ich kann gar nicht mehr klar denken!"

| klingeln: an der Tür „ding dong" machen | zittern: die Hände bleiben nicht ruhig | verzweifelt: sehr, sehr traurig | der Entführer: → S. 14 |

„Aber natürlich, Frau Wolf, kein Problem. Hier, deshalb sind wir gekommen. Mein Enkelsohn hat diese Kette im Kindergarten auf dem Boden vom Badezimmer gefunden. Sehen Sie, hier ist sie kaputt, und Felix hat sie wahrscheinlich verloren. Das ist doch Felix' Kette, oder?"

Jonas wird ganz weiß im Gesicht und nimmt Emma schnell die Kette aus der Hand.

Nina lächelt. „Ja, das ist so ein komisches Geldstück aus der Studentenzeit von meinem Mann. Er sagt immer, Felix soll sie tragen, dann bringt sie unserer Familie Glück. Und nun hat er sie verloren ..." Wieder beginnt Nina zu weinen.

„Omi, was ist eine Entführung?", flüstert Simon.

„Stell dir vor, du nimmst mir Minka weg, meine Katze. Du bringst sie in ein Versteck und sagst zu mir: Gib mir viel Geld, dann bringe ich sie dir zurück!"

„Aber das ist unfair, Omi, da hat Minka doch viel Angst. Und du machst dir Sorgen und denkst immer: Geht es ihr gut?"

„Ja, Simon", sagt Emma leise.

In diesem Moment klingelt im Haus das Telefon. Felix' Eltern laufen hinein. Emma und Simon kommen langsam nach.

Jonas nimmt den Hörer: „Wolf."

Am anderen Ende hört er eine Stimme wie ein Roboter sagen: „Ich habe ihn. Willst du deinen Sohn zurück? Dann zahle den Preis. 300 000 Euro. Morgen sage ich dir, wie und wo. Ruf nicht die Polizei, dann bleibt dein Sohn am Leben."

„Wo ist Felix? Geht es ihm gut? Was ... Wann ..."

Doch Jonas hört nur noch „tut, tut, tut". Traurig legt er auf.

---

verlieren:	das Versteck:	sich Sorgen	die Stimme:
etwas ist nicht	Ort, keiner	machen: an	hört man, wenn
mehr da	kennt ihn	etwas Schlim-	jemand spricht
		mes denken	

„Was will er? So sag doch!"
Voller Angst nimmt Nina Jonas' Arm.
„300 000", antwortet Jonas. Man hört ihn kaum.
Nina fällt auf den nächsten Stuhl und ruft: „Das ist unmöglich!
Dieses Geld haben wir nicht! Warum wir? Oh Felix, mein Junge ..."
Jonas sieht auf seine Füße und sagt nichts.

„Ähm, entschuldigen Sie bitte, aber ..."
Felix' Eltern sehen Emma an.
„Wie Sie vielleicht wissen – oder vielleicht auch nicht ... Ich war
bis vor einer Woche noch Kriminalkommissarin. Nun bin ich
in Rente. Aus meiner Erfahrung rate ich Ihnen: Rufen Sie so
schnell wie möglich die Kriminalpolizei! Haben Sie keine Angst,
der Entführer weiß das nicht."

„Ja, wenn Sie das sagen ... Das tun wir doch, Jonas, oder? Die
Polizei hilft uns sicher!"

kaum:	die Erfahrung:	raten: einen	die Kriminal-
fast nicht	jemand kennt	guten Tipp	polizei: → S. 22
	eine Situation	geben	
	gut		

Jonas antwortet laut: „Es geht um Felix' Leben! Nein! Das erlaube ich nicht. Danke, Frau Wagner, wir brauchen Sie nicht. Guten Abend."

Emma sieht Nina an und sagt leise: „Ich bin gerne für Sie da. Rufen Sie mich einfach an."
Sie holt eine Visitenkarte aus der Tasche und legt sie auf den Tisch. Dann nimmt sie Simon an der Hand. „Komm, Simon, gehen wir nach Hause. – Auf Wiedersehen, Herr Wolf. Meine Visitenkarte liegt auf dem Tisch."

Emma und Simon gehen zur Straße und schließen das Gartentor hinter sich. Aus dem Haus von Familie Wolf hören sie Jonas' laute Stimme und Ninas Weinen.

---

die Visitenkarte:
kleines Papier; dort stehen Name, Adresse, Telefonnummer und E-Mail-Adresse einer Person

Kapitel 3: In der Waldhütte

Felix öffnet langsam die Augen. Sein Kopf tut weh.
„Es ist so dunkel. Wo bin ich nur? Ich kann nichts sehen.
Was ist das, über meinem Kopf?
Ich höre nichts, keine Autos, keine Stimmen …
Meine Arme und meine Hände tun weh, ich kann mich nicht
bewegen. Auf dem Rücken sind sie, ganz fest zusammengebunden.
Wo ist meine Mama? Wo ist Papa? Ich kann sie nicht rufen.
Das Tuch in meinem Mund schmeckt gar nicht gut.
Ich will aufstehen, weg hier! Ich will nach Hause!
Mama! … Sonst kommt sie immer, wenn ich weine. Nimmt
mich in ihre Arme. Mami, hörst du mich nicht weinen?
Ich war doch gerade noch im Kindergarten. Nach dem
Mittagsschlaf bin ich ins Bad gegangen. Da war dieser Mann,
hat etwas repariert. Zuerst war er nett, aber dann ganz böse.
Er hat mich schnell gepackt, von hinten. Das hat wehgetan.

---

bewegen:	binden:	das Tuch: Stück	packen: schnell
↔ ruhig stehen;	zwei Teile	Stoff; trägt man	und hart nehmen
mobil sein	zusammen-	um den Hals oder	
	machen	auf dem Kopf	

Den Mund hat er mir mit etwas zugehalten. Es hat gerochen wie beim Zahnarzt …

Am Hals hat er mich gehalten, meine Kette …

Ist meine Kette noch da? Ich habe ein „pling" gehört. Ich glaube, sie ist weg. Sie soll mir doch Glück bringen, hat Papa immer gesagt …

Was war dann? Ich weiß gar nichts mehr. Ich habe so lange geschlafen. Wie lange? Mein Kopf tut weh.

Da! Da war etwas. Sind da nicht Schritte? Mami, Mami?"

Der kleine Junge auf dem Bett fängt leise an zu weinen. Jacqui will nur kurz nach dem Jungen schauen. Bis jetzt hat er ruhig geschlafen. Vielleicht bekommt er zu wenig Luft? Oder er braucht Wasser?

Jacqui weiß nicht: Was soll sie tun? Dann sagt sie leise: „Hab keine Angst." Vorsichtig legt sie dem Kind die Hand auf den Rücken. Es zittert. Der arme Junge!

Was für ein Blödsinn, dieser Sack! Sie bindet ihn auf und nimmt ihn Felix ab.

Mit großen, ängstlichen Augen sieht er sie an.

Und dieses Tuch im Mund … „Aber sei leise, ja?"

Jacqui nimmt das Tuch aus Felix' Mund.

„Ich hab' so Durst!", flüstert der Junge.

„Einen Moment! Aber leise!" Schnell geht sie aus dem Zimmer und holt eine Flasche Wasser. „Ach, ich Idiot. So kannst du ja gar nicht trinken. Warte mal, ich binde deine Hände los. Aber sei lieb und mach keinen Blödsinn!"

Endlich kann Felix seine Hände wieder bewegen. Dankbar nimmt er die Flasche Wasser und trinkt, trinkt, trinkt …

der Schritt: macht jemand, wenn er geht	die Luft: O_2	der Blödsinn: etwas ist blöd = dumm, nicht intelligent	der Sack: wie eine große Tasche

Jacqui setzt sich neben ihn auf das Bett. „Sei ganz brav und mach keinen Blödsinn, dann wird alles gut. Dann kommst du bald nach Hause zu Mama und Papa. Okay?"

„Ich will aber jetzt nach Hause!" Wieder beginnt Felix zu weinen.

„Das geht noch nicht. Warte ein bisschen und schlaf erst einmal. Morgen kannst du vielleicht schon nach Hause."

„Bleibst du da?", fragt Felix leise. Die Frau ist nett. Er hat nicht mehr so viel Angst.

„Ja, ich bleibe da. Schlaf ruhig." Sie deckt den Jungen mit einer Bettdecke zu und bleibt bei ihm sitzen.

Draußen kommt ein Auto, hält vor der Hütte und man hört eine Autotür.

das Lösegeld
Dieses Geld will der Entführer haben, dann kommt die entführte Person frei.

der Entführer
kriminelle Person, macht die Entführung

die Entführung
Eine kriminelle Person versteckt jemanden und lässt ihn / sie nur gegen Geld wieder frei.

töten
jemanden tot machen

der Komplize
ein „Kollege", er macht mit jemandem zusammen etwas Illegales / Schlechtes

der Zeuge
Eine Person sieht ein Verbrechen, z. B. eine Entführung, und erzählt es der Polizei.

sich setzen: Platz nehmen

brav: keine Probleme machen

die Hütte: kleines Haus im Wald

Kapitel 4: Ein gefährlicher Plan

An diesem Abend sitzt Emma noch lange in ihrer Küche.
Simon kann nicht schlafen. Immer wieder ruft er seine Omi
und sie muss ihn beruhigen: „Sicher geht es Felix gut und er
kommt bald wieder nach Hause. Er liegt jetzt auch irgendwo in
einem Bett und schläft. Und die Polizei fängt den Entführer bald.
Dann passiert so etwas nie wieder."
„Hoffentlich", denkt Emma, aber sagt es nicht laut.
Vor ihr steht ein Pfefferminztee. Emma hat bei ihrer Arbeit als
Kriminalkommissarin immer Pfefferminztee getrunken. Ihr
Assistent Franz Hinterhuber hat das nie verstanden: „Wie kann
man nur jeden Tag so viel Pfefferminztee trinken?"
„Das macht den Kopf klar und hilft beim Denken!", war ihre
Antwort. „Und besser als drei Schachteln Zigaretten rauchen,
oder?"
Emma lächelt. Franz Hinterhuber – sie haben fast 30 Jahre
zusammengearbeitet, ein super Team.
Das ist die Idee! Mit Franz muss sie sprechen!

Zum Glück ist er auch ein Nachtmensch und geht spät zu Bett.
Er ist gleich am Telefon. „Hinterhuber."
„Entschuldige bitte, Franz. Ich weiß, es ist spät, aber ich möchte
dich auf eine Tasse Pfefferminztee einladen."
„Oh – wo brennt's?"
„Schwierig, am Telefon ..."
„Hm, das ist interessant. Ich bin in 10 Minuten bei dir."
„Danke! Bis gleich!"
„Bis gleich! Aber ich muss keinen Pfefferminztee trinken, ja?"
Emma lacht und stellt eine Flasche Bier in den Kühlschrank.

---

irgendwo: ein Platz, aber man weiß nicht, wo	fangen: jemand halten, nicht mehr frei lassen	die Pfefferminze: Mentha	Wo brennt's?: Was ist los?, Was ist passiert?

Franz wohnt in der Lindwurmstraße, weit ist das tatsächlich nicht.

Genau zehn Minuten später klingelt es an der Haustür.

„Servus, Franz! Du bist aber pünktlich!"

„Berufskrankheit!" Franz wartet nicht, er geht gleich an Emma vorbei in die Küche. Er wirft seine Jacke auf einen Stuhl und setzt sich auf den Tisch.

„Los, Emma, erzähl schon! Ich will alles wissen!"

In aller Ruhe nimmt sich Emma noch einen Pfefferminztee, gibt Franz ein Bier, setzt sich und beginnt zu erzählen.

Franz hört zu und sagt kein Wort. Nur bei den 300 000 € sagt er leise: „Phhh, das ist viel …"

Emma erzählt auch von Jonas. Franz sieht sie fragend an: „Er ist nicht überrascht? Über die Entführung? Über die 300 000 €? Er dankt dir nicht für deine Hilfe? Will keine Polizei? Emma, denkst du nicht, da ist etwas faul?"

„Ja", meint sie langsam, „da ist etwas komisch. Und dann diese Kette mit dem Anhänger … Mit diesen Zahlen und Buchstaben … Pass auf."

Sie holt schnell Stift und Papier und schreibt:

240812 BA5Z.

Franz nimmt das Papier: „Zahlen und Buchstaben bleiben immer wie ein Foto in deinem Kopf! Sehr gut …"

„Hast du eine Idee dazu?", fragt Emma. „Ich denke, vielleicht sind die Zahlen links ein Datum, also der 24. August 2012. Und die Buchstaben …"

„… haben wahrscheinlich mit einer Firma oder einem Ort zu tun. Weißt du was, Emma? Morgen ist unser neuer Chef mittags auf einem langen Meeting. Da habe ich ein bisschen Ruhe im

| Servus: Hallo (in Bayern) | werfen: das macht die Hand z. B. mit einem Ball | überrascht: etwas vorher nicht wissen | Da ist etwas faul: etwas stimmt nicht, ist nicht korrekt |

Büro. Ich kann nach Informationen über das Datum und die Buchstaben suchen. Vielleicht finde ich etwas Interessantes."

„So habe ich mir das gedacht!" Zufrieden setzt sich Emma zurück. „Was macht denn der neue Kriminalkommissar? Denkt er immer noch, er kann jeden Fall sofort lösen?"

„Genau das", sagt Franz. „Ich glaube, für Oliver Hartmann leben alle Bayern im letzten Jahrhundert. Durch ihn kommt unsere Kriminalpolizei endlich in den modernen Zeiten an, denn er ist ja aus Berlin! Idiot. Du bist nicht mehr da. Das ist traurig!"

„Ja, es waren schöne Zeiten. Und wir waren wirklich gut. Eigentlich haben wir fast alle Fälle lösen können, richtig? Manchmal hat es mehr Zeit gebraucht, aber am Ende ... Nur dieser eine Fall mit dem verschwundenen Geldtransporter, weißt du noch? Was ist da passiert? Bis heute weiß das kein Mensch. Wann war das?"

„2012, im August. Das vergesse ich nicht. So ein Mist, wir ..." Dann ist es einen Moment ganz leise.

Emma und Franz schauen sich an und Emma nimmt das Papier mit den Zahlen und Buchstaben in die Hand. „24. August 2012, richtig?"

---

einen / den Fall lösen: → S. 22

das Jahrhundert: hundert Jahre, z. B. 19. Jahrhundert

verschwunden: etwas ist weg

So ein Mist!: So eine dumme Sache!

▶ 05   Kapitel 5: Mitgefangen, mitgehangen

So ein Mistwetter, jetzt regnet es auch noch. Der Waldweg zur
Hütte in Garmisch-Partenkirchen ist nass und matschig.
„Morgen muss ich gleich das Auto durch die Waschanlage
fahren", denkt Bene.
Er öffnet die Holztür zur Hütte.
Wo ist Jacqui? Beim Jungen?
Mit ein paar Schritten ist er an der Tür zum Schlafraum und
öffnet sie.
„Hey … Was soll das denn?" Der Junge schaut ihn mit großen
Augen an und fängt an zu weinen. Bene packt Jacqui am Arm.
Er zieht sie aus dem Zimmer und schlägt ihr ins Gesicht.
„Bist du verrückt? Wo ist das Tuch? Und der Sack? Willst du ihm
gleich ein Foto von uns mitgeben? Wer hat dir das erlaubt?" Mit
beiden Händen nimmt er sie hart an den Schultern. „Ich habe
dir doch gesagt, er darf uns nie sehen! Jetzt kennt er uns. Dann
kennt uns die Polizei auch!"

ziehen: jemanden   schlagen: mit der   verrückt: nicht
mitnehmen, aber   Hand wehtun   normal
er will nicht

18

Aber Jacqui hört ihm gar nicht zu. Sie starrt ihn an.
„Du hast mich geschlagen!", flüstert sie. „Niemand darf mich schlagen, hörst du?"
„Ach was, mach doch kein Drama daraus. Du bist schon selbst schuld! Machst Sachen wie ein Idiot! Du verdienst es nicht anders!"

Bene schlägt aggressiv mit dem Fuß gegen den kleinen Holztisch. Dann setzt er sich und denkt nach.

„Also, Plan B: Morgen rufe ich die Familie nochmal an. Ich erkläre alles zum Geld: Ort und Zeit. Du holst dann das Geld. Ich warte im Auto, mit dem Kleinen im Kofferraum. Wir transportieren ihn wie am Anfang. Am besten geben wir ihm etwas zum Schlafen. Und dann – hopp! – werfen wir ihn von einer Brücke in die Isar. Er ist einfach weg. Keine Zeugen, keine Polizei. Und wir sind in drei Stunden in der Schweiz."
„Was? Du hast gesagt, dem Jungen passiert sicher nichts!"
„Psst, nicht so laut! Er muss ja nicht alles hören!"

Jacqui nimmt Bene am Arm. Leise, mit zitternder Stimme sagt sie: „Du hast gesagt, nichts passiert ihm. Später lacht er einmal über die Sache, das hast du gesagt! Nur deshalb habe ich mitgemacht!"
„Selbst schuld! Du machst nicht, was ich sage. Das kann ich ja nicht wissen, oder?"
„Dann geh ich zur Polizei!"

---

anstarren: lange und intensiv ansehen

Du bist schuld!: Es ist dein Fehler!

der Kofferraum: Platz hinten im Auto für das Gepäck

der Zeuge: → S. 14

„Ach ja?" Bene lacht laut. „Dann geh doch! Ich setze mich ins Auto und bin weg. Und du bist die nächsten Jahre im Gefängnis. Mitgefangen, mitgehangen, meine Liebe!"

Jacqui sitzt da und sagt nichts mehr.

Nun legt Bene den Arm um sie. „Hey, Prinzessin, ist ja gut. Denk doch an unsere Pläne! Zuerst die Schweiz, und dann ab nach Guatemala! Ich hab' da gute Kontakte, da kriegen wir leicht eine Aufenthaltsgenehmigung, kostet höchstens ein paar hundert Euro. Stell dir vor, ein großes Haus mit Personal ... Du brauchst nie mehr zu arbeiten, trinkst nur noch Cocktails und gehst shoppen! Und ich fahr dich im Porsche spazieren!"
Jacqui sitzt nur da. Langsam sagt sie: „Ja, richtig, das machen wir."
„Siehst du? Und jetzt mach mir was zu essen. Ich hab' Hunger."
Automatisch steht Jacqui auf und holt Brot, Wurst und Käse. Sie stellt alles vor Bene auf den Tisch. Dann schaut sie nach Felix. Vielleicht hat er auch Hunger? Aber der Junge schläft.

| das Gefängnis: jemand ist nicht mehr frei, denn er ist kriminell, man muss dort bleiben | Mitgefangen, mitgehangen: eine Aktion zusammen machen, mit allen Problemen | die Aufenthaltsgenehmigung: Erlaubnis, in einem anderen Land zu leben |

Kapitel 6: Eine Reise in die Schweiz

Vor dem Kindergarten steht ein Auto der Kriminalpolizei.

„Schau mal, Simon, das war früher mein Auto!"

„Cool!" Simon macht einen langen Hals und will in das Auto sehen.

„Nun komm schon. Die schließen gleich die Tür, es ist kurz vor neun!"

Heute Morgen sind sie beide schwer aus dem Bett gekommen. Emma war zu lange wach, und Simons Nacht war sehr unruhig. Am Morgen war er noch müde und hatte schlechte Laune. Erst bei einem Brötchen mit Schokocreme war die Welt wieder in Ordnung.

Simon zieht seine Jacke aus und seine Hausschuhe an.

„Tschüs, Omi!"

„Einen schönen Tag, mein Schatz! Und pass auf dich auf!"

In diesem Moment kommt Emmas Nachfolger, Oliver Hartmann, aus einem Zimmer im Kindergarten. Er grüßt Emma und will zu seinem Auto gehen. Emma bleibt an seiner Seite.

„Na, Herr Hartmann? Wie laufen die Ermittlungen?"

„Woher wissen Sie …?" Überrascht sieht er Emma an.

„Mein Enkelsohn Simon ist ein Freund von Felix Wolf. Gestern Abend waren wir zusammen bei seinen Eltern."

„Ach so. Ja, wir haben den Täter schon. Er muss nur noch gestehen."

„Sicher?", fragt Emma.

„Zu 90 Prozent."

„Aha. Und was macht Sie so sicher?"

---

wach: nicht schlafen

schlechte Laune: ☹

der Nachfolger: jemand ist weg, ein anderer nimmt den Platz

die Ermittlung, der Täter, gestehen: → S. 22

„Richtig fragen, Frau Kollegin a. D., und schnell handeln! Das kennen Sie hier in Bayern vielleicht nicht, aber so geht das! Wer war gestern Nachmittag nicht im Kindergarten? Wer sollte die Toiletten reparieren und war nicht da? Wer hat kein Alibi für gestern Nachmittag? Und wer redet nie mit den Kindern, nie mit den Eltern? Wer lebt allein in der kleinen Wohnung vom Kindergarten?"

„Sie denken doch nicht, der Hausmeister ..."

„Oh doch, Frau Kollegin a. D., das denke ich! Und bitte entschuldigen Sie mich jetzt. Meine Arbeit wartet."

der Kriminalkommissar /
die Kriminalkommissarin
Er / sie arbeitet bei der
Kriminalpolizei.

die Ermittlung
Die Kriminalpolizei möchte
verstehen: Was ist passiert?
Warum? Wer hat es gemacht?

der Täter
Er hat etwas
Schlechtes
gemacht, die
Polizei sucht ihn.

die Kriminalpolizei
Teil der Polizei, sucht nach
kriminellen Personen

einen / den Fall lösen
Die Polizei findet
den Täter.

das Alibi
Ein Verbrechen ist
passiert, aber man
war zu der Zeit an
einem anderen Ort
und jemand hat
das gesehen.

gestehen
der Polizei sagen:
„Ich habe etwas
Schlechtes
gemacht."

a. D. = außer Dienst: nicht mehr im Arbeitsleben = in Rente

der Hausmeister: er arbeitet in einem Haus, repariert Dinge und kümmert sich um alles

„Eine kurze Frage nur noch – wann haben denn Felix' Eltern
bei Ihnen angerufen?"
„Was? Felix' Eltern? Nein, nein, das war die Kindergärtnerin.
Sie hat uns angerufen. Nun muss ich aber wirklich …"
„Oh, entschuldigen Sie bitte! Und viel Erfolg!"
„Danke, danke. Den haben wir sicher."

Emma nimmt sofort den Weg zu Felix' Eltern. Sie haben also
gestern nicht die Polizei informiert. Und für die Polizei ist nun
der arme Hausmeister der Täter. Höchste Zeit, etwas zu tun!

Emma drückt lang auf die Klingel am Gartentor. Nina Wolf
öffnet. „Ja, bitte?"
„Hallo, Frau Wolf. Wie geht es Ihnen? Gibt es denn etwas
Neues?"
„Ach so, Sie sind's. Nein, nichts Neues."
Emma wundert sich. Nina ist sehr zurückhaltend. „Darf ich
denn einen Moment ins Haus kommen?"
„Natürlich." Nina drückt auf den Türöffner und Emma macht
das Gartentor auf.
„Wo ist denn Ihr Mann, Frau Wolf? In der Arbeit?"
„Nein, er ist in der Schweiz, geschäftlich. Ist aber heute Abend
wieder da."
Emma geht hinter Nina Wolf ins Haus und ins Wohnzimmer.
„Frau Wolf, warum haben Sie denn die Polizei nicht angerufen?"
Mit zitternden Händen zündet sich Nina eine Zigarette an.
„Warum fragen Sie das? Sie wissen doch, mein Mann …"
Jetzt ist Emma ganz offen. Sehr ernst sagt sie: „Frau Wolf, es
geht um das Leben von Felix! Sie brauchen hier Spezialisten!
Sie brauchen die Polizei!"

der Erfolg:	höchste Zeit:	sich wundern:	ernst: seriös,
etwas machen	etwas sehr	man fragt:	ohne Spaß
und am Ende	schnell machen	Warum ist	
ist es gut	müssen	das so?	

In diesem Moment klingelt wieder das Telefon. Sofort nimmt Nina den Hörer. Ihre Hand zittert.

Die Roboterstimme spricht schnell: „Packen Sie das Geld in einen Koffer. Den Koffer stellen Sie in ein Schließfach am Münchner Hauptbahnhof. Am Eingang zu dem Raum mit den Schließfächern ist ein öffentliches Telefon. Den Schlüssel kleben Sie unter das Telefon. Morgen um 10 Uhr muss er dort sein. Sie fahren sofort weg. Um 11 Uhr finden Sie Ihren Sohn am Spielplatz von der Waldwirtschaft in Pullach. Keine Tricks, keine Polizei, haben Sie verstanden?"
„Wo ist Felix? Geht es ihm gut? Ich will ihn hören! Ich will mit ihm telefonieren!"
Am anderen Ende ist es kurz ruhig. „Gut, heute Abend."
Dann macht es „klick" und der Anrufer ist weg.

Langsam legt Nina den Hörer aus der Hand und sieht Emma an.
„Ach, Frau Wagner, ich kann nicht mehr! Ich bin verzweifelt!"
Weinend steht sie da.
Emma nimmt sie vorsichtig in den Arm. „Ruhig, Frau Wolf, alles wird gut, ganz sicher. Bald haben Sie Ihren Felix wieder. Aber Sie müssen alles sagen! Was wissen Sie? Dann kann ich Ihnen vielleicht helfen!"
„Wissen Sie ... Mein Mann ... Er holt das Geld aus der Schweiz, hat er gesagt. Er hat dort ein Konto bei einer Bank! Das habe ich nicht gewusst! Und ..." Wieder schluchzt sie laut. „Woher hat er so viel Geld, Frau Wagner? Er will es mir nicht sagen! Warum denn?"

---

das Schließfach:	öffentliches	kleben: zwei	schluchzen:
ein Platz am	Telefon: Telefon	Teile fest zu-	laut weinen
Bahnhof für	auf der Straße	sammenbringen	
das Gepäck	oder am Bahnhof		

Kapitel 7: Woher kommt das Geld?

Das war ein schwieriger Vormittag. Müde geht Emma die Treppe zu ihrer Wohnung hoch.

Nina beruhigen, aber doch alle wichtigen Informationen von ihr bekommen, dann eine Lösung suchen – das ist ja wie ein ganz normaler Arbeitstag!

Zeit für einen Pfefferminztee. Vielleicht ruft auch bald Franz an …

Und wirklich. Emma sitzt noch nicht lange an ihrem Küchentisch, da klingelt das Telefon. Franz berichtet:

„Der Geldtransporter im August 2012 hatte 600 000 Euro dabei. Das Auto hat man später gefunden, aber das Geld war weg."

„Tja, das haben wir damals auch schon gewusst. Aber vielleicht weiß ich jetzt mehr …" Nun erzählt Emma von ihrem Vormittag bei Nina Wolf.

„Was denkst du, Franz: Hat Jonas etwas mit dieser Geschichte zu tun?"

„Schwer zu sagen. Denn dann muss noch ein anderer wissen: Jonas Wolf hat viel Geld. Und er war wohl immer sehr vorsichtig und hat wenig ausgegeben. Er wohnt mit seiner Familie in einem kleinen Haus, fährt kein großes Auto, hat eine normale Arbeit … Aber vielleicht hatte er einen Komplizen?"

„Das habe ich auch schon gedacht", meint Emma. „Jonas muss mit uns zusammenarbeiten. Wir brauchen ihn."

„… mit uns zusammenarbeiten? Ach, Emma, du sprichst wie vor deiner Rente! Das heißt, du willst Oliver Hartmann nicht informieren?"

„Momentan nicht. Er hat ja schon seinen Täter …" Und Emma erzählt von dem Gespräch am Morgen im Kindergarten.

---

berichten: erzählen, aber formaler

ausgeben: das Geld nicht behalten, viele Dinge einkaufen

der Komplize: → S. 14

Franz ist sauer. „Nicht einmal diese Information habe ich bekommen! Weißt du was, Emma? Ich bin dabei."
„Gut, Franz. Wir schaffen das, ja?"
„Aber klar, Chefin!"
Emma lacht und legt auf.
Sie macht sich schnell zwei Spiegeleier mit Schinken. Dann schläft sie eine halbe Stunde. Der restliche Tag wird sicher schwierig, da braucht sie alle Energie.

Es tut gut, mit Simon nach dem Kindergarten noch ein bisschen spazieren zu gehen. Sie sprechen über vieles, nur nicht über die Entführung. Am Abend darf er mit dem Nachbarjungen einen Tierfilm anschauen und dort auch zu Abend essen. Bis acht Uhr muss Emma also alles schaffen …

Um sechs Uhr macht sie sich auf den Weg zu Familie Wolf. Zum Glück steht Jonas' Auto schon vor dem Gartentor. Gerade kommt er wieder aus dem Haus und geht zu seinem Auto.
„Was wollen Sie schon wieder?", fragt er Emma unfreundlich.
Sie bleibt ruhig und antwortet: „Ich denke, wir müssen über wichtige Dinge sprechen, Herr Wolf. Es geht um das Leben Ihres Sohnes, um Felix. Ich weiß, Sie möchten mich nicht sehen. Und doch kann ich Ihnen helfen. Glauben Sie mir, Herr Wolf! Sie lieben doch Ihren Sohn? Sie möchten alles für ihn tun, richtig?"
„Richtig", sagt Jonas leise. „Kommen Sie ins Haus, Frau Wagner. Ich muss nur noch schnell etwas aus dem Auto holen."

Emma geht ins Wohnzimmer und bittet Nina: „Frau Wolf, können Sie mich bitte mit Ihrem Mann allein lassen? Ich möchte ihn gern unter vier Augen sprechen. Ich denke, das ist leichter für ihn."

----

schaffen: etwas gut zu Ende
bringen, aber es ist nicht leicht

unter vier Augen: nur zwei
Personen = vier Augen

Nina versteht sofort und geht aus dem Zimmer: „Ich mache Tee."
„Oh ja, Pfefferminztee bitte!", ruft Emma.

Jonas kommt und bietet Emma einen Platz auf einem Sessel an,
er setzt sich aufs Sofa.
„Ja, Frau Wagner – wie können Sie uns helfen?"
„Herr Wolf, ich bin ganz offen, denn wir haben nicht mehr viel
Zeit. Und jede Minute ist für Felix eine Katastrophe. Woher haben
Sie so viel Geld, Herr Wolf? Und wer weiß von diesem Geld?"
Jonas sieht auf seine Füße. Er antwortet nicht.
„Sie haben Ihrer Frau nichts von diesem Geld erzählt. Es liegt
auf einem Konto in der Schweiz. So etwas macht man nicht mit
legal verdientem Geld. Sie waren bis jetzt extrem intelligent,
Herr Wolf. Sie leben ruhig, in einem kleinen Haus, haben
keinen Luxus und machen auch nicht jedes Jahr Urlaub auf den
Seychellen. Aber – jemand weiß von dem Geld! Wer kann das
sein? Denken Sie nach, Herr Wolf! Nur Sie können das wissen!"
Jetzt sieht er Emma an. Panik ist in seinen Augen.
„Bene …" flüstert er.
„Wer ist das? Wer ist Bene? Hat es mit dem Geldtransporter zu
tun? 24. August 2012? Das Datum auf Felix' Kette? Reden Sie,
Herr Wolf! Was war da los?"
„Sie wissen von dem Geldtransporter?"
„Ich war schließlich die Kriminalkommissarin. Und habe nichts
gefunden. Sie waren gut. Aber nicht allein, richtig?"
„Bene war dabei. Ich habe ihn in einem Fitnessstudio
kennengelernt. Wir haben manchmal nach dem Training ein
Bier zusammen getrunken. Einmal hatte ich kein Geld dabei.
Wir sind noch zur Bank gegangen und ich habe Geld geholt. So
sind wir auf dieses Thema gekommen. Ein paar Bier, eine Idee,

und dann ist es immer weiter gegangen. Ich hatte Angst. Immer wieder habe ich gedacht: Will ich das wirklich? Aber er hatte so viel Energie. Am Ende habe ich ihm geglaubt. ‚Es ist so einfach, Jonas', hat er gesagt, ‚die Leute wissen das gar nicht: Es ist so einfach! Und dann ist das Leben so leicht!' Na ja, dann habe ich mitgemacht …"

„Was für ein Mensch ist dieser Bene?", fragt Emma.

„Nach dieser Geschichte mit dem Geldtransporter hatte ich keinen Kontakt mehr. Er war so … na ja immer schnell auf 180. Zum Glück hatten wir damals keine Konfrontation mit einem Menschen."

„Denken Sie, er kann einen Menschen töten?"

„Ja. Ein Plan, ein Ziel – ist jemand im Weg, ist er es nicht lange. Er ist brutal. Und jetzt hat er Felix … Wir müssen schnell die Polizei rufen! Ich habe keine Angst vor der Polizei, denn hier bin nicht ich wichtig."

„Ja, das war auch mein erster Gedanke. Aber jetzt … Herr Wolf, sagen Sie mir alles! Was wissen Sie noch von Bene?"

Jonas denkt nach. „Er hat immer viel Krafttraining gemacht, so sieht er auch aus. Klein, aber kräftig. Und viele Tattoos auf den Armen. Er hat auch immer viel Bier getrunken – und viel geraucht! Eigentlich war immer eine Zigarette in seinem Mund. Fitnessstudios, Kneipen und Spielkasinos, das war seine Welt. Früher hatte er keine Haare auf dem Kopf, aber …"

In dem Moment klingelt das Telefon. Sofort nimmt Jonas den Hörer: „Ja?"

„Papi, Papi! Ich will heim, Papi! Hilf mir bitte, ich will zu meiner Mami!"

Und schon ist Felix wieder weg.

Jonas zittert und ist ganz weiß im Gesicht. „Was soll ich tun, Frau Wagner? Sagen Sie es mir, ich mache alles!"

---

schnell auf 180: wie ein Auto, von 0 km/h auf 180 km/h

töten: → S. 14

im Weg sein: jemanden nicht weitergehen lassen

der Gedanke: man denkt etwas

Kapitel 8: Die Zeit läuft

Seit dem Telefongespräch ist der Junge ganz verrückt. Er weint und schreit.
Bene ärgert sich: Das war ein Fehler! Wie soll man bei dem Lärm in Ruhe denken können?
„Jacqui, mach ihn ruhig! Egal, wie!"
Es wird Zeit, der Junge muss weg. Vielleicht noch heute Nacht?
Mal sehen. Macht Jaqui ihn ruhig, kann er bleiben. Bis das Geld da ist. Vielleicht brauchen wir ihn noch. Schreit er weiter so, kommt er heute Nacht in die Isar.

Jacqui geht zu dem Jungen. „Hey, Cowboy, wer schreit denn da so?"
Er wird ruhig. Cowboy? Das sagt sein Papa auch immer. Felix rennt wild durch den Garten, dann ruft sein Papa immer: „Langsam, Cowboy!"
Jacqui setzt sich zu ihm: „Nur noch eine Nacht schlafen, Felix. Morgen Mittag bist du zu Hause, okay? Hast du Hunger?"
Felix schüttelt den Kopf. „Aber hier, trink das, dann kannst du gut schlafen."
In dem Tee ist ein Schlafmittel – und viel Zucker. So merkt Felix nichts und trinkt den Tee gern. Es dauert nicht lang und er schläft.

Bene lächelt: „Gut gemacht! Vielleicht brauchen wir ihn noch. Heute Nacht schon in die Isar ist eine Möglichkeit, aber nicht die beste. Jetzt pass auf. Wir wiederholen nochmal: Was machen wir morgen als Erstes?"
„Dem Jungen wieder Schlafmittel geben und ihn fesseln. Dann kommt er in den Kofferraum."

....

schreien:	sich ärgern:	das Schlaf-	fesseln: Hände
laut rufen	böse werden	mittel: ein	und Füße zu-
		Medikament;	sammenbinden
		macht müde	

„Okay. Dann fahren wir zum Hauptbahnhof. Was darfst du nicht
vergessen?"

„Meine Sonnenbrille, ein 2-Euro-Stück für das Schließfach,
ein paar 20-Cent-Stücke zum Telefonieren und einen großen
Rucksack."

„Richtig. Also, du steigst aus, und dann?"

„... geh ich zu den Schließfächern. Kurz vor dem Eingang ist
links ein Telefon. Ich suche in meinem Geldbeutel ein Geldstück,
werfe es ins Telefon und rufe dich an. Mit der anderen Hand
finde ich unter dem Telefon den Schlüssel und nehme ihn ab.
Erst in dem Raum mit den Schließfächern lese ich die Nummer
und suche das Schließfach. Ich nehme den Geldkoffer aus dem
Schließfach und packe ihn in den Rucksack."

„Und dann kommst du so schnell wie möglich wohin?"

„Auf den Taxiparkplatz an der Bayerstraße. Ich steige ein und
wir fahren weg."

Zufrieden nimmt Bene einen Schluck aus der Bierflasche und gibt sie dann Jacqui: „Hier, trink darauf! Das nächste Bier machen wir morgen Abend in der Schweiz auf!"

***

Auch Jonas und Emma planen den nächsten Tag.
Jonas soll am Morgen den Geldkoffer in ein Schließfach am Hauptbahnhof bringen.
Emma erklärt: „Ich muss es von der Bahnhofshalle aus sehen! Deshalb seien Sie bitte früh am Bahnhof. Da sind noch nicht viele Schließfächer besetzt. Die Nummer schicken Sie mir später per SMS auf mein Handy. Dann gehen Sie zu dem Telefon und kleben den Schlüssel darunter. Machen Sie das ein bisschen auffällig! Vielleicht beobachtet Sie jemand! Gehen Sie weg, und drehen Sie sich dabei immer wieder um. Für einen Beobachter muss ganz klar sein: Der Mann ist jetzt weg, er bleibt nicht am Bahnhof."
„Okay, gut. Und was machen Sie dann, Frau Wagner?"
„Ich muss versuchen, Bene zu erkennen. Ich glaube aber, er holt nicht selbst das Geld. Und dann muss ich schnell einen Plan B haben …"
Emma streicht sich die Haare aus dem Gesicht und trinkt etwas Pfefferminztee.
„Aber wissen Sie, ich habe meinen alten Assistenten dabei. In den letzten 30 Jahren hatten wir im richtigen Moment immer die richtige Idee!"

| auffällig: nicht normal; man denkt: „Warum macht er das?" | beobachten: genau ansehen, nicht wegsehen | sich umdrehen: zurücksehen | erkennen: jemanden sehen und denken: „Aha, das ist er / sie!" |

Kapitel 9: Unerwartete Hilfe

Die Bahnhofshalle ist voller Menschen.

Emma ist zwei Stunden vor dem Termin gekommen. Zuerst hat sie das Telefon kontrolliert – der Schlüssel war da, zum Glück. Jonas war schon um sechs Uhr am Bahnhof und hat den Geldkoffer eingeschlossen. Dann hat er Emma eine SMS geschrieben:

> Alles fertig. Schließfach 37. Viel Glück.

Langsam schlendert Emma herum. Sie liest den Fahrplan, nimmt eine Zeitschrift aus einem Zeitschriftenständer vor einem Buchladen und liest ein wenig. Alle sollen denken: Sie wartet auf einen Zug und hat noch viel Zeit. In Wirklichkeit analysiert sie jeden Meter, den Blick auf die Schließfächer, auf das Telefon, auf jeden Eingang zum Bahnhof. Schließlich findet sie einen sehr guten Platz. Von hier aus hat sie alles im Blick.

Sie wählt die Handynummer von Franz. Er ist im ersten Stock und schaut auf die Bahnhofshalle hinunter.

„Siehst du mich?", fragt Emma. „Ich stehe hier, vor dem Souvenirladen. Möchtest du eine Badehose mit König Ludwig II.?"

„Emma!"

„Entschuldige, aber ich hatte heute Morgen noch keinen Pfefferminztee. Nein, ohne Spaß, ich denke, von hier aus kann ich alles sehen. Ich rufe dich sofort an, wenn jemand den Geldkoffer holt …"

„Viel Glück, Chefin!"

Emma sieht auf ihre Uhr, 8:50 Uhr. Wann Bene wohl kommt – oder sein Komplize? Kein Moment ohne Konzentration, Emma! Du darfst nichts übersehen!

| herumschlendern: langsam und ohne Plan gehen | der Fahrplan: Wann fahren die Züge ab / kommen sie an? | die Wirklichkeit: die Realität | alles im Blick haben: alles sehen können |

Hier – da geht ein Mann zum Telefon!

Er sucht in seiner Jackentasche nach Geld, nimmt den Telefon-hörer und wählt eine Nummer.

Der Mann hat dunkle lange Haare. Er trägt ein T-Shirt, aber man sieht keine Tattoos. Das kann nicht Bene sein. Der Komplize vielleicht? Was macht er mit seiner zweiten Hand? Fasst er unter das Telefon? Er legt auf – und geht weg. Nein, er war es nicht.

Emma geht ein paar Schritte hin und her. Wir leben im Zeitalter der Handys, zum Glück! Deshalb benutzen nicht viele Leute ein öffentliches Telefon. Emma sieht nach oben. Franz hat sich ein Sandwich geholt und frühstückt. Emma hat auch Hunger, aber sie darf das Telefon keine Sekunde aus den Augen lassen.

So viele Menschen. Eine Mutter mit ihrem Kind, ein älterer Mann mit einem Aktenkoffer, ein Ehepaar, ein junger Mann mit einer Reisetasche … Langsam wird Emma müde. Es ist 9.40 Uhr. Ihr Blick geht hin und her – Telefon, Schließfach, Franz, Eingang, Telefon – halt, da steht jemand am Telefon!

| fassen: etwas mit der Hand nehmen | (nicht) aus den Augen lassen: (nicht) wegsehen | der Aktenkoffer: ein kleiner Koffer fürs Büro |

Eine junge Frau mit einem Rucksack auf dem Rücken. Der Rucksack sieht leer aus. Sie sucht etwas in ihrem Geldbeutel, wirft ein Geldstück ins Telefon und wählt. Ein kurzes Gespräch, gleich legt sie wieder auf. Ihre rechte Hand bleibt einen Moment unter dem Telefon und verschwindet dann in ihrer Jackentasche. Sie hat den Schlüssel genommen! Emma weiß: Jetzt geht es los! Das muss sie sein! Benes Komplizin, eine Frau, kein Mann! Aber was macht sie jetzt? Sie bleibt noch einen Moment am Telefon stehen und schreibt etwas auf ein Papier. Sie faltet es zusammen, dreht sich um, sieht alle Leute intensiv an und legt das Papier auf das Telefon. Was ist das? Eine Nachricht? Warum tut sie das? Emma wundert sich.

Dann geht die junge Frau langsam in Richtung Schließfächer. Sehr langsam. Was ist da los?

Emma wartet noch kurz, dann geht sie ganz nah am Telefon vorbei und nimmt mit einer schnellen Bewegung das Papier. Dabei lässt sie den Eingang zu den Schließfächern nicht aus den Augen. Brille – wo, verdammt … – ah, Jackentasche. Schnell setzt sie die Brille auf und liest:

> Taxiparkplatz Bayerstraße, schwarzer BMW mit Nürnberger Kennzeichen. Der Junge ist im Kofferraum. Lebensgefahr!!!
>
> Helfen Sie! Wir haben 20 Minuten!

---

verschwinden:
nicht mehr da sein

zusammenfalten:
ein Papier kleiner
machen

mit einer schnellen
Bewegung: ihre Hand
ist sehr schnell

Kapitel 10: Haben Sie Feuer?

Sofort nimmt Emma ihr Handy und wählt Franz' Nummer.

„Ja?"

„Junge Frau mit Rucksack auf dem Rücken, geht gerade zum Schließfach. Aber da ist etwas komisch! Sie hat uns eine Nachricht auf das Telefon gelegt."

Schnell liest Emma die kurze Nachricht vor.

„Hm. Denkst du, wir können ihr vertrauen, Emma?"

„Haben wir eine andere Möglichkeit? Da kommt sie wieder! Sie hat den Geldkoffer im Rucksack und geht extrem langsam. Franz, sie will uns Zeit geben! Lauf! Schwarzer BMW mit Nürnberger Kennzeichen!"

„Okay. Die Zigarettennummer?"

„Ja! Hoffentlich hat Bene nicht aufgehört zu rauchen …"

„Dann habe ich eine andere Idee. Gehst du der Frau nach?"

„Ja."

Emma sieht Franz die Rolltreppe hinunterlaufen in Richtung Taxiparkplatz. Sie geht langsam hinter der jungen Frau her. Jacqui bleibt erst einmal am Fahrplan stehen und liest.

So schnell er zum Ausgang Bayerstraße gelaufen ist, so plötzlich wird Franz nun ganz langsam. Ruhig und unauffällig geht er in Richtung der Taxis.

Wo ist der schwarze BMW? Da vorne, am Seitenstreifen parkt einer – Nürnberger Kennzeichen! Das muss er sein. Ein kleiner, kräftiger Mann steht neben der Fahrertür und raucht. Das ist sicher Bene, so hat ihn Emma beschrieben! In welcher Hand hält er die Zigarette? Rechts, das ist gut.

----

vertrauen: glauben

die Rolltreppe: eine automatische Treppe

der Seitenstreifen: Platz neben der Straße

Franz geht an den parkenden Taxis vorbei und will von hinten zu dem BMW kommen. Die Zigarette brennt noch. Gleich muss er bei Bene sein, das ist die Chance.

Da kommt eine junge Japanerin. „Excuse me, can you help me? Can you tell me where Marienplatz is?"

Oh nein! Warum jetzt? „Tut mir leid, ich kann kein Englisch! Da – Taxifahrer!" Er zeigt auf die Taxis.

„Oh, thank you!" Puh, sie ist weg.

Und Bene – raucht noch.

Noch ein paar Schritte, dann ist Franz bei ihm.

„Äh, entschuldigen Sie bitte, haben Sie Feuer?" Franz lächelt und hält Bene seine Zigarette hin. „Zu dumm, aber mein Feuerzeug ist mal wieder kaputt …"

Unfreundlich sieht Bene ihn an. Dann kramt er in seiner Hosentasche und will Franz das Feuerzeug geben. Nun geht alles blitzschnell.

Franz lässt seine Zigarette fallen, packt Benes Hand mit dem Feuerzeug und zieht sie ihm auf den Rücken. Zur selben Zeit schlägt er mit dem Fuß in Benes Kniekehle. Bene ist überrascht und Franz drückt Benes Gesicht auf das Autodach. Handschellen raus, klick – klick – das ist gut gegangen!

Emma sieht alles kurz vor der Treppe zum Parkplatz. Mit ein paar Schritten ist sie bei Jacqui. „Ich denke, Sie geben mir Ihren Rucksack, ja?"

Jacqui sieht Emma an und Tränen laufen über ihr Gesicht. „Ich hatte so Angst! Er will den Jungen töten. Ich habe das nicht gewusst!"

„Jetzt ist alles gut. Kommen Sie mit. Und – danke!"

---

kramen: in einer Tasche etwas suchen	die Kniekehle: die Rückseite vom Knie	die Hand- schellen: zwei Metallringe für die Hände	die Träne: beim Weinen kommt Wasser aus den Augen

Emma geht mit Jacqui zum Auto.

„Hier, Franz, Nummer zwei!" Noch einmal klicken die Handschellen. „Und schnell, mach den Kofferraum auf!"

Da liegt Felix und schläft, gefesselt. Emma muss an Simon denken. Wie kann man nur …

Sofort wählt sie Jonas' Nummer.

„Alles ist gut gegangen. Ihr Sohn schläft noch. Zur Kontrolle lasse ich ihn ins Krankenhaus nach Großhadern bringen. Dort können Sie ihn abholen."

Ein Anruf unter der Nummer 112 und in ein paar Minuten ist ein Notarztwagen da.

Und nun noch ein Anruf: „Herr Hartmann? Hier ist Emma Wagner. Kommen Sie doch bitte mit zwei Polizeiautos zum Taxiparkplatz in der Bayerstraße. Sie können hier die beiden Entführer von Felix abholen. Und – lassen Sie doch bitte den armen Hausmeister nach Hause gehen."

---

der Notarztwagen: Auto von einem Arzt; fährt sehr schnell

zu Kapitel 1

1. **Was ist richtig? Kreuzen Sie an.**

a Emma ist
   1 ○ die Kindergärtnerin von Simon.
   2 ○ die Großmutter von Simon.
   3 ○ die große Schwester von Simon.

b Emma freut sich, denn
   1 ○ sie muss heute nicht so lange arbeiten.
   2 ○ sie ist Kriminalkommissarin.
   3 ○ sie hat endlich mehr Zeit für ihren Enkelsohn:
       Sie ist in Rente.

c Simon hat in seiner Hosentasche
   1 ○ einen Glücksbringer, ein Auto und ein Bilderbuch.
   2 ○ eine Kette, einen Radiergummi und ein Taschentuch.
   3 ○ einen Kaugummi, ein 20-Cent-Stück und einen
       Buchstaben.

d Die Kette mit dem Anhänger
   1 ○ war im Bad auf dem Boden.
   2 ○ hat Felix Simon geschenkt.
   3 ○ hat Simon Felix zurückgegeben.

2. **Was ist mit dieser Kette? Ordnen Sie zu.**

Boden • Glücksbringer • Plombe • Buchstaben • Koffer

a Der Anhänger ist für Felix ein _____.
b Auf dem Anhänger sind Zahlen und _____.
c Der Anhänger sieht aus wie eine _____.
d Mit Plomben macht man die _____ von
   Geldtransporten zu.
e Simon hat die Kette im Bad auf dem _____
   gefunden.

1. Machen Sie das Rätsel und finden Sie die Lösung.

a Wo ist das VERST......CK von Felix' Entführern?

b Emma kann nur RATE......: Rufen Sie die Polizei.

c Der Entführer hat am Telefon eine S......IMME wie ein Roboter.

d Felix ist weg und seine Mutter ist ganz VERZWEI......ELT.

e Simon FL......STERT mit ganz leiser Stimme.

f Emma hat als Kriminalkommissarin viel ERFA......RUNG.

g Felix' Eltern machen sich große SO......GEN.

h Jonas spricht sehr leise und man hört ihn KA......M.

i Nina hat Angst und ihre Hände ZITTER......

j Das Telefon KLIN......ELT, denn der Entführer ruft an.

Lösungswort:

a	b	c	d	e	f	g	h	i	j
......	......	......	......	......	......	......	......	......	......

▶ 11   2. Was passiert wann? Hören Sie und ordnen Sie die Sätze.

a ○ Emma will gerne helfen und lässt ihre Visitenkarte auf dem Tisch.

b ○ Nina entschuldigt sich, denn sie hat Emma gar nicht ihrem Mann vorgestellt.

c ○ Der Entführer möchte 300 000 Euro.

d ○ Nina Wolf läuft gleich ans Gartentor und fragt nach Felix.

e ① Emma und Simon machen einen Spaziergang zu Familie Wolf.

f ○ Jonas will nicht die Polizei rufen und ist sehr unfreundlich zu Emma.

g ○ Emma und Simon geben Felix' Kette zurück.

h ○ Der Entführer ruft an und telefoniert mit Jonas.

i ○ Jonas nimmt Nina in seine Arme und beruhigt sie.

zu Kapitel 3

1. **Was ist mit Felix? Kreuzen Sie die richtige Antwort an.**

   a Felix liegt
      1 ○ im Kindergarten im Bad auf dem Boden.
      2 ○ zu Hause bei seiner Mama.
      3 ○ auf einem Bett in einer Waldhütte.

   b Felix kann nichts sehen und nicht sprechen,
      1 ○ denn er hat einen Sack über dem Kopf und ein Tuch
         im Mund.
      2 ○ denn der Mann im Kindergarten hält ihm den Mund
         und die Augen zu.
      3 ○ denn seine Hände sind auf dem Rücken zusammen-
         gebunden.

   c Felix zittert,
      1 ○ denn er bekommt zu wenig Luft.
      2 ○ denn es ist kalt in der Hütte.
      3 ○ denn er hat Angst.

   d Felix findet Jacqui nett,
      1 ○ denn sie gibt ihm etwas zu trinken.
      2 ○ denn sie bringt ihn nach Hause.
      3 ○ denn sie gibt ihm etwas zu essen.

▶ 12 2. **Was macht Jacqui? Hören Sie zuerst den Text und markieren Sie
      die Fehler. Korrigieren Sie dann.**

   Jacqui sagt ~~laut~~ *leise* zu Felix: „Hab' keine Angst!" und legt ihm die

   Hand auf den Kopf. Sie nimmt ihm das Tuch von den Augen.

   Dann holt sie Felix ein Brot. Sie sagt zu ihm: „Aber sei

   ganz böse!" Er kann nicht trinken, deshalb bindet sie ihm die

   Füße los.

1. **Was passt zusammen? Verbinden Sie.**

   a Warum ruft Simon immer wieder nach seiner Omi?

   b Warum trinkt Emma so viel Pfefferminztee?

   c Wer ist Franz Hinterhuber?

   d Wer ist Oliver Hartmann?

   e Warum mag Franz seinen neuen Chef nicht?

   f Was war mit dem Geld-transporter?

   1 Er war 30 Jahre lang Emmas Assistent.

   2 Bis heute weiß das kein Mensch.

   3 Für ihn leben alle Bayern im letzten Jahrhundert.

   4 Er kann nicht schlafen.

   5 Er ist der neue Kriminal-kommissar.

   6 Das macht den Kopf klar und hilft denken.

▶ 13 2. **Emma und Franz: Hören Sie und ergänzen Sie die Sätze.**

   a Franz kommt genau zehn Minuten später. Er ist sehr ....

   b Der Entführer will viel Geld. Warum ist Jonas nicht .... ?

   c Franz und Emma finden Jonas' Reaktionen ....

   d Zahlen und Buchstaben sind wie ein Foto in Emmas Kopf. Das ist sehr ....

   e Emma ist in Rente. Franz ist .... , denn jetzt arbeiten sie nicht mehr zusammen.

3. **Wie kann man auch sagen? Ergänzen Sie.**

   a Was ist passiert? = Wo .... ?

   b Da stimmt etwas nicht. = Da ist etwas ....

   c Das ist eine dumme Sache. = So ein .... !

zu Kapitel 5

1. Was passt zu Bene? Richtig (r) oder falsch (f)? Kreuzen Sie an.

		r	f
a	Bene schlägt Jacqui, denn sie hat das Auto noch nicht durch die Waschanlage gefahren.	○	○
b	Er will Felix ein Schlafmittel geben und ihn in die Isar werfen.	○	○
c	Bene hat gesagt, dem Jungen passiert sicher nichts.	○	○
d	Er will zur Polizei gehen.	○	○
e	Er will mit Jacqui in der Schweiz leben.	○	○
f	Bene sagt: In Guatemala können sie in einem großen Haus in Luxus leben.	○	○

▶ 14 2. Hören Sie den Text und kreuzen Sie an. Wer sagt was?

		Bene	Jacqui
a	Was soll das denn?	○	○
b	Bist du verrückt?	○	○
c	Du hast mich geschlagen!	○	○
d	Du bist schon selbst schuld.	○	○
e	Nur deshalb habe ich mitgemacht.	○	○
f	Du machst nicht, was ich sage.	○	○
g	Dann geh ich zur Polizei.	○	○
h	Und du bist die nächsten Jahre im Gefängnis.	○	○
i	Ja, richtig, das machen wir.	○	○

3. Welches Wort passt? Ergänzen Sie.

Gefängnis • Aufenthaltsgenehmigung • Zeugen

a Ich möchte in einem fremden Land leben. Da brauche ich
   eine _____.

b Kann die Polizei Bene und Jacqui fangen? Dann müssen
   sie ins _____.

c Bene will Felix in die Isar werfen, denn er will keinen

   _____.

1. Was ist richtig? Kreuzen Sie an. Manchmal gibt es zwei richtige Lösungen.

   a Der Dienstwagen der Polizei
      1 ○ steht vor dem Kindergarten.
      2 ○ war früher Emmas Auto.
      3 ○ bringt Simon zum Kindergarten.

   b Emma und Simon sind heute spät beim Kindergarten,
      1 ○ denn Emma hatte heute Morgen schlechte Laune.
      2 ○ denn beide haben nicht gut geschlafen.
      3 ○ denn Emma musste noch viele Brötchen mit
            Schokocreme essen.

   c Oliver Hartmann sagt,
      1 ○ sie haben den Täter schon ins Gefängnis gebracht.
      2 ○ der Täter hat schon gestanden.
      3 ○ sicher war es der Hausmeister.

   d Der Hausmeister
      1 ○ war gestern den ganzen Tag im Kindergarten.
      2 ○ sollte die Toiletten reparieren und war nicht da.
      3 ○ lebt allein in einem Haus beim Kindergarten.

2. Es gibt viele Fragen. Ergänzen Sie die Fragewörter.

   a .... ist Jonas Wolf? – In der Schweiz.
   b .... ist Nina Wolf am Anfang zu Emma? – Sehr
      zurückhaltend.
   c .... haben die Wolfs nicht die Polizei angerufen? – Jonas
      wollte das nicht.
   d .... ruft Nina an? – Der Entführer.
   e .... sollen die Wolfs den Geldkoffer bringen? – In ein
      Schließfach am Hauptbahnhof.
   f .... können sie dann ihren Sohn abholen? – Um 11 Uhr.
   g .... möchte Nina vom Entführer? – Sie möchte Felix hören.

zu Kapitel 7

▶ 15   1. Hören Sie und ergänzen Sie dann die Sätze.

   a Franz .... Emma am Telefon.

   b Jonas Wolf hat immer wenig Geld ....

   c Franz hat von seinem Chef keine Informationen
      ....

   d Der Tag wird schwierig und Emma .... viel Energie.

   e Hoffentlich hat Emma bis acht Uhr alles ...., denn
      dann muss sie Simon abholen.

   f Jonas ist unfreundlich, aber Emma bleibt ....

   g Emma möchte Jonas und Nina gern ....

2. Die Sache mit dem Geldtransporter – was passt zusammen?
Verbinden Sie.

a Jonas hat Bene	1 Bene ist klein, kräftig und hat Tattoos.
b Einmal hatte Jonas kein Geld dabei	2 Will ich das wirklich?
c Jonas hat immer wieder gedacht:	3 in einem Fitnessstudio kennengelernt.
d Jonas ist froh,	4 und sie sind zusammen zur Bank gegangen.
e Jonas sagt,	5 denn sie hatten keine Konfrontation mit einem Menschen

3. Wie kann man auch sagen? Ergänzen Sie.

   a Ich möchte mit ihm allein sprechen. = Ich möchte mit ihm
      .... sprechen.

   b Er ist sehr impulsiv. = Er ist ....

   c Er kann nicht mit ihm arbeiten. = Er war ihm bei seiner
      Arbeit immer ....

1. Machen Sie das Rätsel und finden Sie die Lösung.

   a Der S __H__ klebt unter dem Telefon.

   b R ___ ist ein anderes Wort für Zimmer.

   c Jacqui soll den Geldkoffer in einen R ___ packen.

   d Am Bahnhof gibt es für die Taxis einen P ___ .

   e Jacqui soll ein G ___ für das Telefon mitnehmen.

   f Sie darf ihre S ___ nicht vergessen.

   g Das Geld ist in einem S ___ am Bahnhof.

   h Felix bekommt ein S ___ , denn er soll ruhig sein.

   i Das Telefon ist am E ___ zu den Schließfächern.

   j Felix gleich in die Isar werfen, ist eine M ___ , aber keine gute.

   k Felix liegt im K ___ von Benes Auto.

   l Jonas hat den G ___ am Morgen ins Schließfach gebracht.

   Lösungswort:

a	b	c	d	e	f	g	h	i	j	k	l
H											

2. Was passiert wann? Ordnen Sie die Sätze und nummerieren Sie.

   a ○ Dann kleben Sie den Schlüssel unter das Telefon.

   b ○ Machen Sie das ein bisschen auffällig!

   c ○ Bringen Sie den Geldkoffer in ein Schließfach.

   d ○ Vielleicht beobachtet Sie jemand!

   e ○ Gehen Sie weg und drehen Sie sich dabei immer wieder um.

   f ① Seien Sie bitte früh am Bahnhof.

zu Kapitel 9

1. **Was ist richtig (r), was ist falsch (f)? Kreuzen Sie an.**

		r	f
a	Emma ist um sieben Uhr am Bahnhof.	○	○
b	Der Geldkoffer ist im Schließfach Nummer 37.	○	○
c	Emma kauft sich etwas zu lesen, denn ihr ist langweilig.	○	○
d	Franz möchte im Souvenirladen eine Badehose mit König Ludwig II. kaufen.	○	○
e	Emma denkt, vielleicht kommt Bene nicht selbst, sondern ein Komplize.	○	○
f	Der Mann am Telefon war nicht der Komplize.	○	○
g	Emma hat Hunger und holt sich ein Sandwich.	○	○
h	Sehr viele Menschen gehen zum öffentlichen Telefon.	○	○

2. **Was macht Jacqui? Ordnen Sie zu.**

Papier • faltet ... zusammen • Richtung • verschwindet • Geldstück

a Sie wirft ein _____ ins Telefon und wählt.

b Ihre rechte Hand ist unter dem Telefon und _____ dann in ihrer Jackentasche.

c Dann schreibt sie etwas auf ein _____.

d Sie _____ das Papier _____ und legt es aufs Telefon.

e Langsam geht sie in _____ Schließfächer.

3. **Ergänzen Sie Jacquis Nachricht.**

> Taxiparkplatz Bayer_____ (a), sch____er (b) BMW
> mit Nürnberger Kenn_____ (c). Der Junge ist im
> _____ (d). Lebens_____ (e)!!!
> H_____ (f) Sie! Wir haben 20 M_____ (g)!

1. **Was ist richtig? Kreuzen Sie an.**

a Jacqui geht sehr langsam,
   1 ○ denn sie will Emma und Franz Zeit geben.
   2 ○ denn der Geldkoffer im Rucksack ist so schwer.

b Franz läuft auf den Taxiparkplatz,
   1 ○ denn dort kann er Zigaretten kaufen.
   2 ○ denn dort ist Bene mit dem Jungen.

c Eine junge Japanerin kommt
   1 ○ und Franz freut sich, denn er kann ihr helfen.
   2 ○ und stört Franz bei seinem Plan.

d Franz fragt Bene nach Feuer,
   1 ○ und so kann er seine Hände packen und ihm
      Handschellen anlegen.
   2 ○ aber Bene will ihm kein Feuerzeug geben.

e Emma dankt Jacqui,
   1 ○ denn sie hat ihr den Rucksack gegeben.
   2 ○ denn sie hat geholfen, Bene zu fangen.

▶ 16 2. **Hören Sie und kreuzen Sie an. Wer sagt was? Emma (E), Franz (F) oder Jacqui (J)?**

		E	F	J
a	Denkst du, wir können ihr vertrauen?	○	○	○
b	Sie will uns Zeit geben!	○	○	○
c	Gehst du der Frau nach?	○	○	○
d	Entschuldigen Sie bitte, haben Sie Feuer?	○	○	○
e	Ich denke, Sie geben mir Ihren Rucksack.	○	○	○
f	Ich hatte so Angst!	○	○	○
g	Jetzt ist alles gut.	○	○	○
h	Dort können Sie ihn abholen.	○	○	○

Kapitel 1

1. a 2, b 3, c 2, d 1
2. a Glücksbringer, b Buchstaben, c Plombe, d Koffer, e Boden

Kapitel 2

1. ENTFÜHRUNG
2. a 9, b 4, c 7, d 2, e 1, f 8, g 5, h 6, i 3

Kapitel 3

1. a 3, b 1, c 3, d 1
2. die Hand auf den ~~Kopf~~ *Rücken,* das Tuch ~~von den Augen~~ *aus dem Mund,* holt sie Felix ~~ein Brot~~ *Wasser,* Sie sagt zu ihm: „Aber sei ganz ~~böse~~ *brav,* bindet sie ihm die ~~Füße~~ *Hände* los

Kapitel 4

1. a 4, b 6, c 1, d 5, e 3, f 2
2. a pünktlich, b überrascht, c komisch, d gut, e traurig
3. a brennt's, b faul, c Mist

Kapitel 5

1. *richtig:* b, c, f
2. *Bene:* a, b, d, f, h *Jacqui:* c, e, g, i
3. a Aufenthaltsgenehmigung, b Gefängnis, c Zeugen

Kapitel 6

1. a 1 + 2, b 2, c 3, d 2
2. a Wo, b Wie, c Warum, d Wer, e Wohin, f Wann, g Was

Kapitel 7

1. a berichtet, b ausgegeben, c bekommen, d braucht, e geschafft, f ruhig, g helfen
2. a 3, b 4, c 2, d 5, e 1
3. a unter vier Augen, b schnell auf 180, c im Weg

Kapitel 8

1. a SCHLÜSSEL, b RAUM, c RUCKSACK, d PARKPLATZ, e GELDSTÜCK, f SONNEN-BRILLE, g SCHLIEßFACH, h SCHLAFMITTEL, i EINGANG, j MÖGLICHKEIT, k KOFFER-RAUM, l GELDKOFFER
   Lösungswort: HAUPTBAHNHOF
2. a 3, b 4, c 2, d 5, e 6, f 1

Kapitel 9

1. *richtig:* b, e, f
2. a Geldstück, b verschwindet, c Papier, d faltet ... zusammen, e Richtung
3. a Bayerstraße, b schwarzer, c Kennzeichen, d Kofferraum, e Lebensgefahr, f Helfen, g Minuten

Kapitel 10

1. a 1, b 2, c 2, d 1, e 2
2. *Emma:* b, e, g, h
   Franz: a, c, d
   Jacqui: f